NOUVELLES
Histoires
droles

70

Illustration de la couverture :
Philippe Germain

EH Héritage jeunesse

Nouvelles Histoires drôles no 70
Illustration de la couverture : Philippe Germain
Conception graphique de la couverture : Luc Boileau
© Les éditions Héritage inc. 2004
Tous droits réservés

Dépôts légaux : 3e trimestre 2004
Bibliothèque nationale du Québec
Bibliothèque nationale du Canada

ISBN : 2-7625-2205-6
Imprimé au Canada

Les éditions Héritage inc.
300, rue Arran
Saint-Lambert (Québec) J4R 1K5
Téléphone : (514) 875-0327
Télécopieur : (450) 672-5448
Courriel : info@editionsheritage.com

À tous ceux et celles qui aiment collectionner, écouter et raconter des blagues.

Je suis capable de faire rire un nigaud le lundi matin.

Qui suis-je?

Celui qui lui raconte une blague le vendredi soir!

•

Je suis un nez qu'on apprécie quand il fait chaud.

Qui suis-je?

Un nez-vantail!

•

Les gens seraient à la rue s'ils me perdaient.

Qui suis-je?

La clé!

•

Je suis un nez gigantesque.

Qui suis-je?

Un nez-norme!

•

Je mesure au moins deux pieds et je ne peux pas marcher.

Qui suis-je?

Un ruban à mesurer!

●

J'ai des dents, mais je ne mords pas.

Qui suis-je?

Un peigne!

●

Je suis le poulet qui n'est jamais en retard.

Qui suis-je?

Le poulet pressé!

●

On la trouve dans le mois de septembre, mais pas dans les autres mois de l'année.

Qui est-elle?

La lettre P!

●

Quelle est la différence entre les dinosaures et les dragons?

Les dinosaures sont des non-fumeurs!

•

Nous sommes les lettres préférées des dieux.

Qui sommes-nous?

D S!

•

Je gagne ma vie sans jamais travailler une seule journée.

Qui suis-je?

Le gardien de nuit!

•

Je suis un mot de 3 syllabes et de 26 lettres.

Qui suis-je?

Alphabet!

•

J'ai 150 dents et je suis presque toujours fermée.

Qui suis-je?

Une fermeture éclair!

•

Je suis un nez qui aime les crayons.

Qui suis-je?

Un nez-guisoir!

•

Je ne me sers jamais de mes dents pour manger.

Qui suis-je?

Le peigne!

•

Ce n'est ni ma sœur ni mon frère, et pourtant c'est l'enfant de mon père et de ma mère.

Qui est-ce?

C'est moi!

•

Je peux faire le tour du monde en restant toujours dans mon coin.

Qui suis-je ?

Un timbre !

•

Je suis un nez qui dure toute la vie.

Qui suis-je ?

Un éternel ! (un nez-ternel)

•

J'ai un dos et j'ai quatre pattes. Pourtant, je ne peux pas marcher.

Qui suis-je ?

Une chaise !

•

Je fais « avance, arrête, avance, arrête, avance, arrête ».

Qui suis-je ?

Un apprenti conducteur sur un feu rouge clignotant !

•

Je suis un rat qui vit en Inde.
Qui suis-je ?
Un rat-ja !

●

Je suis la lettre de l'alphabet qui permet de respirer.
Qui suis-je ?
L'R !

●

C'est moi qui fais le tour de la maison le plus souvent.
Qui suis-je ?
L'aspirateur !

●

Je suis rouge à l'intérieur, rouge à l'extérieur, et je suis pleine de boutons.
Qui suis-je ?
Une fraise !

●

Je suis un nez qui fait le tour de la planète.
Qui suis-je ?
Un nez-quateur !

•

Je suis l'Allemande la plus légère.
Qui suis-je ?
Éva Senvoler !

•

Je suis le futur du verbe voler.
Qui suis-je ?
Emprisonner !

•

J'ai un dos, mais pas de ventre, j'ai des feuilles, mais je ne suis pas un arbre, j'ai une couverture, mais je ne suis pas un lit.
Qui suis-je ?
Un livre !

•

Je suis un nez qui aime les hauteurs.
Qui suis-je ?
Un nez-levé !

●

Je suis sur l'eau du Rhône.
Qui suis-je ?
Un accent circonflexe ! (l'O du Rhône)

●

Je monte et je descends sans jamais bouger.
Qui suis-je ?
Un escalier !

●

Quand je me suis assis au piano pour mon concert, tout le monde a ri de moi.
Pourquoi ?
Il n'y avait pas de banc...

●

Ensemble, nous sommes les lettres les plus disciplinées.
Qui sommes-nous?
O B I C!

•

Je rebondis sur un trampoline.
Qui suis-je?
Tout ce qui saute dessus!

•

Comment s'appelle le meilleur employé dans une quincaillerie?
Yvan Desmarteau!

•

Je suis le bois le plus honnête.
Qui suis-je?
Le bois franc!

•

Quand je suis plein, je disparais.
Qui suis-je?
Un trou!

•

J'ai des doigts, mais je ne peux pas jouer du piano.

Qui suis-je ?

Une paire de gants !

•

Je peux faire pleurer quelqu'un sans même lui adresser la parole.

Qui suis-je ?

L'oignon !

•

Je suis un mot de six lettres qui comprend cinq voyelles.

Qui suis-je ?

Oiseau !

•

Je transporte les abeilles qui se rendent à l'école.

Qui suis-je ?

L'autobizzzzzz !

•

Je peux sauter même si je n'ai ni jambes ni pieds.

Qui suis-je ?

Un ballon !

•

Je monte, je descends et je tourne en rond toute la journée.

Qui suis-je ?

Les aiguilles de l'horloge !

•

Je suis blanc quand on me lance, et jaune quand on me ramasse.

Qui suis-je ?

Un œuf !

•

Mon nom est celui du meilleur patineur arabe.

Qui suis-je ?

Ilim Salam !

•

Je suis l'aumônier des pêcheurs.
Qui suis-je ?
Le père Chaude ! (perchaude)

•

Je suis un nez qui adore les meubles.
Qui suis-je ?
Un nez-béniste !

•

Je suis le plat préféré de Dracula.
Qui suis-je ?
Le croque-monsieur !

•

Je suis une blague plate.
Qui suis-je ?
La blague de l'assiette !

•

Je suis le Chinois le plus fort.
Qui suis-je ?
Tau Wing !

•

Nous sommes les lettres des grandes dépensières.

Qui sommes-nous?

L M H T!

•

Je suis un nez qui n'est pas calme du tout.

Qui suis-je?

Un nez-nervé!

•

Nous sommes les lettres de l'alphabet les plus dépensières.

Qui sommes-nous?

G H T!

•

J'ai des boutons, mais je ne me gratte jamais.

Qui suis-je?

Une chemise!

•

Je suis un fleuve et je suis la moitié d'un petit animal.

Qui suis-je ?

Le Missouri !

●

Elle voyage vers l'océan sans jamais quitter son lit.

Qui est-elle ?

La rivière !

●

Je suis l'aliment préféré des agents de police.

Qui suis-je ?

L'amande ! (amende)

●

Je suis la meilleure chose à mettre dans une tarte.

Qui suis-je ?

Ses dents !

●

Je suis le dessert qui se mange le plus rapidement.

Qui suis-je?

L'éclair!

•

Ensemble, nous sommes les lettres les plus excitées.

Qui sommes-nous?

A J T!

•

Je suis l'aumônier des joueurs de tambour.

Qui suis-je?

Le père Cussion! (percussion)

•

Je suis bleue et je fais bizzzz.

Qui suis-je?

Une abeille qui a foncé dans un bleuet!

•

Je monte et je ne descends jamais.
Qui suis-je ?
L'âge !

●

Je suis un mot qui commence par E,
finit par E et ne contient qu'une seule
lettre.
Qui suis-je ?
Une enveloppe !

●

J'ai des plumes, mais pas de pattes,
ni de bec, ni de tête, ni de queue.
Qui suis-je ?
Le plumeau !

●

Je suis pleine de poils, je suis
entièrement brune et je tousse souvent.
Qui suis-je ?
Une noix de coco enrhumée !

●

Je suis un chat de ville.
Qui suis-je ?
Chat-teauguay !

●

Je suis un des nigauds qui fait le plus de conneries dans une journée.
Qui suis-je ?
Un de ceux qui se lèvent tôt et se couchent tard !

●

Ensemble, nous sommes les lettres les plus détériorées.
Qui sommes-nous ?
C K C !

●

Je suis la destination vacances préférée des chats.
Qui suis-je ?
Les îles Canaries !

●

Je suis un chat qui flotte.
Qui suis-je ?
Un chat-loupe !

•

Peu après Noël, une maman furieuse entre au magasin de jouets.

— Je viens retourner ce camion de pompier incassable. Je ne suis vraiment pas satisfaite !

— Mais, madame, votre enfant ne l'a sûrement pas brisé ?

— Oh non ! Mais il a brisé tous ses autres jouets avec.

•

— Sais-tu ce qui me plaît beaucoup quand arrive le temps de Noël ?

— Non, quoi ?

— Embrasser les filles sous la mezzanine.

— Moi, ce que je préfère, c'est de les embrasser sous le nez !

•

J'ai un cou et un corps, mais pas de tête.

Qui suis-je ?

Une bouteille !

•

Maxime : Maman, j'ai trouvé ce que j'allais te donner pour Noël.

— La mère : Ah ! Quoi donc ?

— Maxime : Un beau chandelier en cristal pour mettre sur le buffet.

— La mère : Mais voyons, j'en ai déjà un !

— Maxime : Euh... tu en avais un !

•

— Qu'est-ce que tu as eu en cadeau à Noël ?

— Deux bâtons de baseball, cinq balles de baseball, un boomerang, une fronde et trois ballons de football.

— C'est un peu beaucoup, non ?

— Pas du tout, mon père vend des vitres !

•

Un monsieur entre au dépanneur pour demander son chemin.

— Quelle est la distance entre Montréal et Sainte-Agathe?

— Environ 50 kilomètres.

— Et la distance entre Sainte-Agathe et Montréal?

— Mais voyons, monsieur! C'est la même chose, c'est évident!

— Pas si évident que ça!

— Comment ça?

— Bien, de Noël au jour de l'An, il y a une semaine. Mais du jour de l'An à Noël, c'est autre chose!

•

— Mon père m'a donné un Polaroïd pour Noël.

— Est-ce que tu aimes ça?

— Bien, avec mon autre appareil photo, j'étais obligé de finir le film avant de le faire développer, puis d'attendre une semaine avant de le ravoir. Alors je découvrais que j'avais raté la moitié des photos.

— Et maintenant?

— Maintenant c'est super! En quelques minutes, je peux voir... que j'ai raté ma photo!

•

Quel spectacle les écureuils vont-ils toujours voir à Noël? *Casse-Noisette.*

•

Lison: Alors, as-tu reçu la guitare que tu voulais pour Noël?

— Sophie: Oui, mais je l'ai jetée.

— Lison: Pourquoi?

— Sophie: Il y avait un gros trou en plein milieu.

•

— Qu'est-ce que tu donnes à tes parents pour Noël?

— Une liste de tout ce que je veux avoir!

•

La mère : Qu'est-ce que tu veux pour Noël, cette année ?

— Amélie : Je ne veux qu'une chose.

— La mère : Quoi ?

— Amélie : Que pour une fois, tu ne chantes pas !

●

Thérèse écoute sa sœur faire sa répétition de chant.

— Tu n'as jamais pensé à te spécialiser dans les chansons de Noël ?

— Non, pourquoi ? Tu crois que ma voix conviendrait bien à ce type de répertoire ?

— Pas vraiment, mais au moins, on ne t'entendrait chanter qu'une fois par année !

●

Victoria : Qu'est-ce qu'un paon ?

— Julien : Je ne sais pas.

— Victoria : C'est un oiseau qui a un arbre de Noël dans le dos !

●

Deux copines discutent :

— Je me pose une question depuis longtemps.

— Quoi ?

— Je me demande pourquoi les dindes ne se cachent pas un mois avant Noël !

●

Le prof : Qu'est-ce que tu aimerais recevoir pour Noël ?

— L'élève : Un mois de congé !

●

Le fils : Maman, veux-tu me donner des exercices de mathématiques s'il te plaît ?

— La mère : D'accord. Je vais te poser un petit problème. Disons qu'un homme a cultivé dans sa cour 50 sapins de Noël. Il décide d'en vendre 40. Combien lui en reste-t-il ?

— Le fils : Facile ! Il lui en reste 10 !

— La mère : Non ! Il lui en reste toujours 50. Pour le moment, il a juste décidé de les vendre !

●

Deux copines discutent :
— As-tu trouvé ce que tu vas donner à ton frère pour Noël ?
— Je pense que je vais lui donner la même chose que l'année dernière.
— Qu'est-ce que c'était ?
— La grippe !

•

John : J'ai reçu un beau poisson rouge à mon anniversaire.
— Lucille : Chanceux.
— John : Maintenant, j'ai tellement hâte à Noël.
— Lucille : Pourquoi ?
— John : Je vais recevoir le bocal.

•

Nous sommes à la fin décembre et le juge du tribunal correctionnel est de bonne humeur. Il demande au prisonnier :
— Quelles sont les faits qui vous sont reprochés ?
— On me reproche d'avoir fait mes achats de Noël trop tôt !

— Mais ce n'est pas un crime, ça. Et c'était trop tôt comment?

— Ben, avant que le magasin n'ouvre.

•

Deux gogos se promènent dans la forêt à la recherche d'un sapin de Noël. Ils cherchent pendant une heure, deux heures, trois heures, quatre heures et, au bout de cinq heures, l'un dit à l'autre:

— Je crois qu'on va se contenter d'un sapin pas décoré!

•

Laurie et Cécile sont contentes de se retrouver après le long congé des fêtes.

— Moi, cette année, j'ai donné deux cadeaux à ma sœur pour Noël.

— Ah oui! Lesquels?

— Une paire de mitaines!

•

Deux arbres discutent:

— Moi, j'ai un cousin sapin qui ne travaille pas de l'année, sauf à Noël. Il travaille alors tellement qu'il a plein d'ampoules.

•

En visite à Montréal, une mère et sa fille de 5 ans entrent à l'église Notre-Dame. Elles s'arrêtent devant une statue du Christ.

— C'est qui, ce monsieur? demande la petite fille.

— C'est Jésus.

— Ce n'est pas possible. À Noël, c'était un bébé.

•

— Qu'est-ce qui a 34 jambes, 9 têtes et 2 bras?

— Je ne sais pas.

— Le Père Noël et ses rennes.

•

— Sais-tu pourquoi le Père Noël visite chaque maison le soir de Noël?

— Pour porter nos cadeaux, voyons!

— Mais non, pas du tout! C'est pour pouvoir manger des biscuits et boire du lait!

•

Isabelle écrit une lettre au Père Noël:

— Cher Père Noël, je promets d'être très sage et de ne plus me battre avec mon petit frère. Comme cadeau, j'aimerais bien que tu m'apportes une paire de gants de boxe!

•

Sophie: Maman, est-ce qu'on peut avoir un piano pour Noël?

— La mère: Oh... ma petite Sophie, un piano, c'est beaucoup trop cher!

— Sophie: Pas grave! Je vais le demander au Père Noël. Lui, il va le payer!

•

Le prof : Quand arrive le temps de la fête de Noël, il faut aller dans notre cœur et penser à ce qui nous rend heureux.

— Lysiane : Je suis heureuse d'avoir des bons parents.

— Le prof : Oui, c'est bien.

— Henri : Je suis heureux d'être en santé.

— Le prof : Tu as raison, c'est un grand bonheur. Et toi, Magali, as-tu quelque chose à dire ?

— Magali : Oui, je suis très heureuse de ne pas être une dinde !

•

Deux dindes se rencontrent au début de décembre :

— Et toi, où vas-tu passer les fêtes cette année ?

•

Le Père Noël : Qu'est-ce que tu veux comme cadeau, ma petite ?

— Annie : Quoi, vous n'avez pas reçu mon fax ?

•

Annie : Sais-tu pourquoi les jours diminuent de plus en plus quand on approche de Noël?

— Olivier : Oui, c'est pour faire arriver les cadeaux plus vite!

•

Pascal : As-tu écrit au Père Noël?

— Kim : Oui, je lui ai envoyé ma lettre la semaine dernière.

— Pascal : Et qu'est-ce que tu lui demandes?

— Kim : Je lui ai demandé de passer plus souvent!

•

Kim : Sais-tu pourquoi le Père Noël est gros?

— Marianne : Non.

— Kim : Parce que dans chaque maison qu'il visite, on lui laisse du lait et des biscuits!

•

Héloïse : Quelle est la chose qu'il ne faut surtout pas oublier de faire le 24 décembre ?

— Claudine : Je ne sais pas.

— Héloïse : Nettoyer la cheminée !

•

Pourquoi le Père Noël porte-t-il des bretelles blanches et rouges ?

Pour tenir son pantalon.

•

Comment le Père Noël joue-t-il au poker ?

Avec des çartes de Noël.

•

Alexandre, un Montréalais, fait visiter sa ville à deux touristes.

— Voici le Stade olympique, dit-il, très fier.

— Dans mon pays , dit un des touristes en souriant, en une semaine, on peut construire un édifice comme celui-là !

— Vous voulez rire, reprend l'autre touriste. Chez nous, ça ne prendrait même pas deux jours !

— Ce n'est rien, ça ! dit Alexandre, plutôt insulté. Quand je suis sorti ce matin pour aller au dépanneur, il n'était même pas encore là !

●

Deux hommes sont à la chasse sur une île et ils attrapent deux orignaux. Lorsque le pilote de l'avion arrive pour les chercher, il dit qu'il ne peut pas prendre les orignaux parce qu'ils sont trop lourds. Les deux chasseurs expliquent que le pilote de l'année passée l'a pourtant fait. L'orgueil du pilote étant en cause, il dit :

— O.K., d'abord, montez... L'avion décolle, puis wing bang ! Les deux gars se regardent et disent :

— À la même place que l'année passée !

●

— Je viens de trouver un fer à cheval!

— Chanceux! Il paraît que ça porte bonheur!

— Même si je l'ai trouvé parce qu'il m'est tombé sur la tête?

•

Un chirurgien annonce à un patient:

— Vous avez une tumeur au cerveau et il va falloir vous enlever ce dernier en totalité. Mais ne vous en faites pas, vous ne vous douterez d'aucun changement!

•

Deux grands nonos sont à l'épicerie. L'un d'eux se couche par terre devant un étalage.

— Mais que fais-tu? lui demande son copain.

— Je cherche les bas prix.

•

Un homme commence à se demander s'il n'a pas une légère calvitie le jour où il veut peigner son dernier cheveu et qu'il ne le retrouve plus.

●

Marie-Christine : Connais-tu l'histoire de la petite fille qui était dans la salle de bain?

— Camille : Non.

— Marie-Christine : Moi non plus, la porte était fermée.

●

Un monsieur entre dans une bijouterie :

— Je voudrais une bague, demande-t-il à la vendeuse.

— En or?

— Non, fait le monsieur, c'est pour une rupture...

— Ah, fait la vendeuse, alors en plaqué.

●

— J'ai un nouveau flirt, dit Josiane à sa meilleure amie. Il se nomme Georges. Il est merveilleux. Chaque fois qu'il m'embrasse, il me dit : «vos lèvres sont fraîches comme deux pétales de rose».

— Ah! dit l'amie, c'est ce Georges-là!

•

Jean : Qui a inventé les mitaines ?
Béatrice : Je ne sais pas.
Jean : Un nu-main.

•

C'est une dame très chic qui entre dans une boutique de vêtements rue du faubourg Saint-Honoré à Paris. Elle regarde les divers modèles, mais ne trouve rien à son goût, lorsque soudain elle réalise que la vendeuse porte une robe superbe.

— Votre robe est splendide. C'est exactement ce qu'il me faut! Quel est son prix ?

— Cette robe vaut 9000 dollars, madame.

— 9000 dollars! C'est un peu cher. Et dites-moi, vous n'avez rien en dessous?

La vendeuse répond en rougissant:

— Non. Les sous-vêtements ne viennent habituellement pas avec la robe!

•

J'ai aperçu ta copine l'autre jour, mais elle ne m'a pas vu!

— Je sais, elle me l'a dit.

•

Hé! les gars! Je peux jouer au hockey avec vous?

— D'accord. Tu joueras «avant».

— Écoutez, si ça ne vous dérange pas trop, j'aimerais mieux jouer en même temps que vous!

•

Les policiers arrivent sur les lieux d'un accident. Un des agents demande au conducteur :

— Mais que s'est-il passé au juste ?

— Eh bien, je roulais sur le boulevard, vraiment pas vite, quand soudainement un homme à vélo se jette devant moi. Je freine brusquement pour l'éviter, et je me mets à tourner. Je monte sur le trottoir, j'écrase une poubelle et je frappe un arbre. C'est à ce moment-là que j'ai perdu le contrôle de ma voiture !

•

Entendu dans une gare :

— Un billet pour Berthier, s'il vous plaît.

— Mais où se trouve donc cet endroit ?

— Pas bien loin, juste à côté de moi. C'est mon jeune fils !

•

Avant de prendre le train, un gars va se choisir un bouquin à la librairie de la gare.

— Madame la libraire, pouvez-vous m'aider à choisir un livre ?

— Oui, monsieur, quel auteur voulez-vous ?

— Comment de quelle hauteur ? Oh! ça n'a pas d'importance, pourvu qu'il entre dans le wagon!

•

Il est en vacances à l'étranger. Il entre dans une quincaillerie et demande un cintre parce que la porte de sa voiture est barrée et ses clés sont restées dedans. Il se dirige vers son auto et se contorsionne comme un diable pour tenter d'ouvrir la porte. Au bout d'un moment, on entend une voix qui vient de la voiture, c'est sa femme qui dit : Un peu plus à gauche, puis tu vas l'avoir!

•

La directrice d'une compagnie de taxis reçoit un candidat :

— Je veux bien vous prendre comme chauffeur si vous avez de bonnes références.

— J'ai conduit durant plus de vingt-cinq ans sans aucune plainte de la part de clients !

— Où étiez-vous employé ?

— Aux pompes funèbres, service des corbillards !

•

Un bon matin, le gardien du zoo entre travailler et aperçoit son patron qui l'attend, l'air très mauvais.

— Triple imbécile ! crie le directeur. Hier, en partant du zoo, vous avez oublié de fermer à clé la cage du jaguar !

— Bof ! Ce n'est pas si grave ! Calmez-vous ! Je suis certain que personne ne penserait jamais à nous voler un jaguar !

•

Une grande cheminée d'usine s'adresse en ces termes à la petite cheminée d'une maison unifamiliale :

— Eh, toi, tu es bien trop jeune pour fumer !

•

Chez le médecin :

— Quel est votre problème, madame ?

— J'aime beaucoup plus les romans de science-fiction que les romans policiers.

— Mais, ma chère madame, il y a des millions de personnes dans votre cas. Il ne faut pas vous en faire avec ça !

— Vous croyez ?

— Mais bien sûr. Moi-même, je préfère les romans de science-fiction !

— C'est vrai ? Et vous les aimez comment ? Avec de la mayonnaise ou nature ?

•

Maude rencontre une fille qui marche vers l'école.

— Bonjour, à ce que je vois, tu habites le quartier!

— Oui.

— En haut ou en bas de la côte?

— En haut.

— Comme moi! À gauche ou à droite de la pharmacie?

— À gauche.

— Comme moi. Dans quelle rue?

— La rue Labonville.

— Comme moi. À quelle adresse?

— 142.

— Ah... moi c'est au 173. Dommage, on aurait pu revenir ensemble.

•

Je suis un nom de rue très doulou-reux.

Qui suis-je?

La rue Maloney! (mal au nez)

•

Un écrou amoureux d'une clé anglaise lui dit passionnément : Serre-moi plus fort, ma chérie !

●

Un vétérinaire procède à l'insémination d'une vache. Il quitte la ferme et entend un bruit de sabots derrière lui. Il se retourne et voit la vache qui lui dit, en baissant les yeux : Même pas un petit bisou avant de partir ?

●

Le facteur sonne à l'entrée de la propriété, car il a aperçu des tas d'écriteaux « Attention au chien. »

— Où est-il ce chien ? demande-t-il au propriétaire. Il est donc si terrible que ça ? À ce moment surgit un minuscule roquet qui aboie tant qu'il peut.

— Vous comprenez, explique son maître, j'ai tellement peur qu'on l'écrase !

●

Tristan : Connais-tu l'histoire de la tortue ?

Rosange : Non.

Tristan : Moi non plus, elle n'est même pas encore arrivée !

•

Une devinette pour toi : Je suis blanc, je vis où il fait très froid et je sursaute sans arrêt.

Qui suis-je ?

Un ours polaire qui a le hoquet !

•

— Je ne comprends pas, dit l'inspecteur des impôts venu vérifier la comptabilité d'une oisellerie, pourquoi tous vos perroquets ont le bec hermétiquement clos avec du ruban gommé.

•

Un patron veut embaucher un comptable. Il fait passer l'entrevue à un militaire, se disant que ce sont des gens rigoureux et disciplinés. L'entrevue se passe bien, mais à la fin, le patron demande à l'ancien gradé s'il sait compter.

— Oui, bien sûr !

— Allez-y un peu pour voir ?

— Facile... 1,2,1,2,1,2,1,2,1,2... Le patron se dit qu'un informaticien serait probablement plus approprié. Ils sont logiques et intelligents. L'entrevue se passe bien et à la fin, il lui demande de compter.

— Pas de problèmes ! 0,1,0,1,0,1, 0,1... Découragé, le patron songe finalement à un fonctionnaire. Ils sont honnêtes et consciencieux. L'entrevue est vite terminée, et le patron demande aussi au fonctionnaire de compter.

— D'accord : 1,2,3...

— C'est bien, pouvez-vous continuer ?

— Bien sûr ! 4,5,6,7,8...

— Super ! encore un peu ?

— Neuf, dix, valet, dame, roi...

•

Une jeune femme tombe en panne sur l'autoroute (eh oui, ça arrive). Une Ferrari s'arrête. Les deux conducteurs discutent et ils se mettent d'accord :

— Je vais vous remorquer. S'il y a un problème, klaxonnez. Les voilà repartis, la jeune femme à 5 mètres derrière la Ferrari. 30 km/h : OK. 50 : O.K. 100 : O.K. 180 : toujours O.K. À 250 km/h, la jeune femme trouve ça un peu rapide et klaxonne comme prévu pour le faire ralentir. Malheureusement, il y a un contrôle radar. Le policier téléphone à ses collègues :

— J'en crois pas mes yeux : J'ai pris une Ferrari à rouler à 250 km/h. Mais le pire, c'est qu'elle était suivie par une jeune femme qui klaxonnait pour la doubler.

•

Un fou s'inscrit à des cours de peinture et tue son modèle.

Il voulait peindre une nature morte !

•

Un ancien ministre remarquait avec un certain cynisme :

— L'aide aux pays sous-développés est payée par les pauvres des pays riches, au bénéfice des riches des pays pauvres.

•

Je pense que je suis un boomerang mais je ne reviens jamais.

Qui suis-je ?

Un bout de bois !

•

Au magasin :

— Je vais prendre ce joli pyjama et ces pantoufles.

— Ce sera tout ?

— Oui, c'est pour mon fils. C'est son anniversaire.

— Ce sera sûrement toute une surprise pour lui.

— Je comprends, il croit que je vais lui offrir une bicyclette.

•

Un jeune garçon et sa petite sœur discutent :

— Pourquoi les poissons ne parlent-ils pas ?

— C'est simple, as-tu déjà essayé de parler avec la bouche pleine d'eau ?

●

Le notaire demande à la nouvelle veuve :

— Madame, votre mari était-il couvert par une police d'assurance lorsqu'il est mort ?

— Non, maître, de répondre la veuve. Il n'avait qu'une chemise de nuit sur son dos !

●

Un client rentre dans un laboratoire spécialisé dans la vente de cerveaux. Il remarque trois bocaux en verre contenant chacun un beau cerveau bien conservé. Sur chaque bocal se trouve une étiquette. La première indique : Astrophysicien 100 $, la deuxième : Représentant 1 000 $, et la troisième : Batteur 10 000 $. Le client est quelque peu surpris et appelle le vendeur :

— Je ne comprends pas qui pourrait vouloir du cerveau d'un batteur à 10 000 $ quand on peut avoir celui d'un astrophysicien à 100 $?

— Mais il n'a jamais servi! répond le vendeur.

•

Dodo : Arrête de simuler la folie!
— Dédé : Je ne simule pas!

•

Une dame visite un jardin.

— Cette fleur appartient à la famille des bégonias, lui explique l'horticulteur.

— C'est bien gentil à vous de vous occuper d'elle pendant qu'ils sont en voyage.

•

— Chérie, dit le jeune athlète à sa fiancée, je cours le 100 mètres en 11 secondes.

— Fantastique! Quand on sera mariés, c'est toi qui iras faire les commissions!

•

Définition d'un feu de circulation : lumière verte qui devient instantanément rouge chaque fois qu'un véhicule s'approche d'elle.

•

Une femme, au bal, est invitée à danser avec un inconnu. Soudain, un pet lui échappe.

Gênée, elle s'adresse à son cavalier : Excusez-moi, ça m'a échappé! J'espère que cela restera entre nous?

Son cavalier répond : Ben non! j'espère que ça va circuler!

•

Un fermier venu faire des courses en ville achète un casse-tête. Il réussit à le terminer en y travaillant chaque soir pendant deux semaines.

— Viens voir ce que j'ai fait, dit-il à un voisin.

— C'est merveilleux! Combien de temps ça t'a pris?

— Seulement deux semaines.

— Je n'ai jamais fait de casse-tête. C'est rapide, ça?

— Je pense bien! Regarde ce qui est écrit sur la boîte: «De deux à quatre ans.»

●

La gardienne: Monsieur Jolicœur, je dois vous dire que la prochaine fois, je vais augmenter mes tarifs.

— Monsieur Jolicœur: Qu'est-ce qu'il y a? Les enfants sont trop «tannants»?

— La gardienne: Non, non, mais les émissions de télévision sont trop plates.

●

— J'ai rencontré cette nuit un fantôme très chic.

— Comment ça?

— Eh oui! Il était dans de beaux draps!

•

Paul: Les paresseux et les rivières ont un point en commun.

— Luc: Ah oui, lequel?

— Paul: Ils sortent très rarement de leur lit.

•

Deux copains sont en train de se dire des bêtises.

— Tu as peut-être une tête sur les épaules, mais je te jure qu'elle ne sert qu'à une chose!

— À quoi donc?

— À tenir tes oreilles éloignées l'une de l'autre.

•

Au magasin, Sandrine demande au vendeur :

— Combien coûtent ces gants ?

— Cinquante dollars.

— Cinquante dollars ? Mais avec tout cet argent, je pourrais m'acheter un pantalon.

— Peut être, mais tu aurais l'air pas mal folle avec un pantalon au bout des mains.

●

— As-tu des trous dans ton chandail ?

— Voyons ! Bien sûr que non !

— Comment as-tu fait pour le mettre ce matin ?

●

Je suis un nez pas très mince.
Qui suis-je ?
Un nez-pais !

●

Deux cannibales discutent :

— J'ai entendu dire que les habitants du pays voisin étaient très méchants !

— Non, pas si tu les assaisonnes comme il faut !

•

Un voyageur entre à l'hôtel, loue une chambre et va se coucher. En déplaçant les couvertures, il aperçoit des puces sur le couvre-lit. Il téléphone en catastrophe à la réception pour se plaindre.

— Ne vous en faites pas, monsieur, lui dit le réceptionniste. Nous venons juste de faire désinfecter toutes les chambres. Ces puces sont mortes.

— D'accord...

Le lendemain matin, en quittant l'hôtel, le voyageur s'arrête devant le réceptionniste pour lui dire :

— Vous savez, les puces mortes dans mon lit ?

— Oui, monsieur ?

— Eh bien, cette nuit, leurs funérailles ont été célébrées et tous leurs parents et amis étaient là!

•

Le juge : Comment pouvez-vous dire que vous n'êtes pas coupable ? Il y a ici trois témoins qui vous ont vu voler!

L'accusé : Peut-être! Mais moi je peux faire venir ici au moins 500 personnes qui ne m'ont pas vu voler!

•

Au terminus, le conducteur vérifie les billets de tous les passagers de son autobus.

— Mais, madame, il y a une erreur : vous avez un billet pour Québec, et moi, je m'en vais à Ottawa.

— Dites donc, répond la dame, ça vous arrive souvent de vous tromper de direction comme ça?

•

À l'hôpital, deux voisins de lit font connaissance. L'un a le bras dans le plâtre et l'autre un bandage au tour du cou.

— Moi, dit le premier, je suis aviateur et un jour, j'ai voulu voler trop bas!

— Et vous?

— Moi, je suis ténor, répond le second, et un jour, j'ai voulu chanter trop haut!

•

Le génie et l'abruti font un jeu dont voici les règles : chacun d'eux va poser des énigmes à l'autre, si l'abruti ne sait pas répondre, il paye un dollar à l'autre, si c'est le génie qui ne sait pas répondre, il paye cent dollars parce que lui, il est intelligent, et comme ça c'est équitable.

Le génie commence :

— Qu'est ce qui a quatre pattes et qui miaule?

— Je sais pas, tiens, voilà un dollar.

— Qu'est ce qui a quatre pattes et qui aboie?

— Je sais pas, tiens voilà un dollar.

— Allez, dis quelque chose toi aussi, demande le génie au stupide...

— Bon, qu'est ce qui a huit pattes le matin et quatre le soir? Le génie réfléchit, réfléchit, il réfléchit pendant une heure mais ne trouve pas, et se trouve contraint de donner sa langue au chat.

— Je sais pas. Tiens, voilà cent dollars. Alors c'était quoi?

— Je sais pas, tiens, voilà un dollar...

●

C'est Toto qui fait de la luge en compagnie de sa sœur Nini. Leur maman dit alors à Toto: N'oublie pas de prêter la luge à ta sœur!

Et Toto de répondre: Oui maman, je prend la luge pour descendre et Nini, elle, la remonte.

●

Au restaurant, le serveur récapitule :
Nous disions donc pâté en croûte,
langouste, truffes et foie gras. Et avec
ça, qu'est-ce que monsieur prendra ?

Son épouse répond : Du ventre,
certainement.

•

David se rend chez le psychiatre
avec sa mère.

— Alors, mon petit garçon, il paraît
que tu te prends pour Super Mario ?

— Pas du tout, c'est ma mère qui
me prend pour David Larouche !

•

— Arsène, lui dit sa mère, écoute-
moi bien ! Je ne veux plus que tu
ailles jouer au parc après l'école. Tu
ne reviens jamais à temps pour
souper !

— Ben oui, ben oui !

— Pour être sûre que tu revien-
nes à temps, je vais te demander

d'aller chercher des escargots au marché. Après l'école, Arsène fait comme sa mère lui a demandé. Il achète les escargots et prend le chemin de la maison. Mais sur sa route, il rencontre son ami Bastien qui n'a pas besoin de lui tordre le bras pour l'entraîner au parc. Il est 6h30 quand Arsène regarde l'heure ! Oh là là ! Quelle punition en perspective ! Il part en courant vers la maison. Sur le perron, il sort les escargots du sac et les dépose par terre. Au même moment, sa mère sort de la maison.

— Qu'est-ce que tu fais là ! As-tu vu l'heure ?

— Oui, oui, maman. Mais que veux-tu, les escargots, c'est pas vite !

•

Je suis une lettre qu'on peut boire.
Qui suis-je ?
La lettre O !

•

Maude : Maman, qu'est-ce que tu as dans ton ventre ?

— La mère : C'est un petit bébé.

— Maude : Est-ce que tu l'aimes, ce petit bébé ?

— La mère : Oh oui ! Je l'aime autant que je t'aime toi, ma chérie !

— Maude : Ouais, mais alors pourquoi est-ce que tu l'as mangé ?

●

Michel est allé visiter une ferme. Les cochons l'ont beaucoup impressionné. De retour à la maison, il dit à son père :

— Papa, j'ai vu des animaux qui parlent comme toi quand tu dors !

●

— On a trouvé le meilleur laitier du monde.

— Qu'est-ce qui te fait dire qu'il est si bon ?

— Il s'appelle Yvan Dulait !

●

Étienne entre à la maison, visiblement en colère. Il dit à son grand frère Thomas :

— Le gros Gratton n'arrête pas de me pousser. Tu es mon grand frère, tu es supposé me protéger. Va le retrouver dehors, et ne le manque pas !

— Désolé, Étienne, mais j'ai deux bonnes raisons de ne pas faire ce que tu me demandes. Premièrement, il serait temps que tu commences à te défendre toi-même...

— Ah, c'est ça ! Tu as peur de lui !

— Ça, c'est ma deuxième raison !

●

La mère : Qu'est-ce que tu veux pour Noël, cette année ?

— Amélie : Je ne veux qu'une chose.

— La mère : Quoi ?

— Amélie : Que pour une fois tu ne chantes pas !

●

Élaine a regardé la télévision toute la soirée et elle n'a pas fait son devoir. Mais elle n'ose pas le dire à son professeur.

— Le prof : Élaine, as-tu fait ton devoir ?

— Élaine : Euh... non.

— Le prof : Pourquoi ?

— Élaine : Parce que... je ne pouvais pas.

— Le prof : Ah bon. Et pourquoi donc ?

— Élaine : Euh... j'étais malade.

— Le prof : Ah oui ? Et de quoi souffrais-tu ?

— Élaine : Euh... d'allergie.

— Le prof : D'allergie à quoi ?

— Élaine : Euh... à la mine de crayon !

●

Deux copains discutent :

— Aujourd'hui, notre prof nous a parlé de la pollution. Il paraît que le savon qu'on rejette à l'eau peut faire beaucoup de tort aux poissons.

— Ah oui?

— Oui. Maintenant, j'ai une réponse toute prête pour ma mère la prochaine fois qu'elle va me dire d'aller prendre mon bain !

•

Karine accepte d'aller garder les jumelles de sa voisine.

— Mais comment est-ce que je vais faire pour les reconnaître? demande-t-elle à la maman.

— Facile ! Regarde bien :

Julie, c'est celle qui est à gauche d'Annie !

•

Gaston : Maman, connais-tu la différence entre un crayon et mon professeur?

— La mère : Non.

— Gaston : Mon crayon, lui, il a bonne mine !

•

— Sais-tu quelle est la chose la plus importante pour les cannibales?

— Non.

— Trouver une gardienne d'enfants végétarienne!

•

Marguerite et son frère Blaise sont en train de se préparer à aller dormir.

— Pourquoi apportes-tu ton maillot de bain et ta brosse à dents dans ton lit? demande Marguerite à son frère.

— Je ne prends pas de risque. Hier, j'ai rêvé que je prenais l'avion pour les Antilles!

•

C'est l'histoire d'un petit fantôme qui passait toujours à travers la porte.

Sa mère lui dit un jour:

— Tu ne pourrais pas passer à travers le mur, comme tout le monde?

•

Thérèse écoute sa sœur faire sa répétition de chant.

— Tu n'as jamais pensé à te spécialiser dans les chansons de Noël?

— Non, pourquoi? Tu crois que ma voix conviendrait bien à ce type de répertoire?

— Pas vraiment, mais au moins on ne t'entendrait chanter qu'une fois par année!

●

Chez le médecin:

— Docteur, mon mari se prend pour une pomme.

— Bof! Ce n'est pas si grave!

— Vous croyez? Il passe ses journées accroché à une branche d'arbre.

— Vous lui avez demandé de descendre de là?

— Oui, mais il m'a dit que c'était impossible parce qu'il n'est pas encore mûr!

●

Charles : Maman, j'ai tellement mal aux orteils !

— La mère : Mais mon pauvre chéri, tu as mis tes souliers dans le mauvais pied.

— Charles : Mais, maman ! Qu'est-ce que tu veux que je fasse ! Je n'en ai pas d'autres !

•

Deux dames discutent :

— Qu'est-ce que tu préfères, Huguette ? Un homme joyeux ou un homme intelligent ?

— Moi ? Ni l'un ni l'autre. Je préfère l'hommelette et l'hommeburger !

•

Je suis noire, jaune et rouge, et je fais bzzz.

Qui suis-je ?

Une abeille qui saigne du nez !

•

Le père : Qu'est-ce que tu as appris à l'école aujourd'hui ?

— Ariane : J'ai appris à écrire.

— Le père : Et qu'est-ce que tu as écrit ?

— Ariane : Je ne sais pas, je n'ai pas encore appris à lire !

•

Maude : Papa !

— Le père : Oui, Maude.

— Maude : Qui a inventé la toilette ?

— Le père : Je ne sais pas.

— Maude : En tout cas, ça doit être une « bolle » !

•

Madame : Tu as bien dormi, chéri ?

— Monsieur : Oui, j'ai fait un rêve formidable ! J'étais dans les Antilles et je me promenais en yacht entre les îles. Et toi, as-tu passé une bonne nuit ?

— Madame : Moi ? J'ai entendu ronfler ton magnifique yacht toute la nuit !

•

Deux voisines discutent :

— Mon mari suit une diète à base d'ail.

— Pourquoi ?

— Parce que de loin, il paraît moins gros !

•

Un journaliste rencontre la plus vieille habitante de sa ville. Elle a 103 ans !

— Chère madame, vous êtes encore très active. C'est formidable de vous voir aller !

— Je vous remercie, jeune homme. Mais vous savez, il y a des jours où ça va bien, et des jours où ça va moins bien !

— Et comment vous sentez-vous aujourd'hui ?

— En pleine forme ! Je me sens comme une jeune femme de 83 ans !

•

Le brocoli : Moi, je suis tellement malheureux !

— L'oignon : Pourquoi ?

— Le brocoli : J'adore les enfants ! Mais il n'y en a pas un qui me regarde sans me faire de grimaces !

— L'oignon : Ce n'est pas plus drôle pour moi.

— Le brocoli : Comment ça ?

— L'oignon : Imagine, je ne dis pas un mot et tout le monde se met à pleurer !

•

Pierre-Étienne montre à sa mère une lettre qu'il veut envoyer à sa grand-mère.

— Mais voyons, lui dit sa mère, elle est pleine de fautes ! Il faut la corriger.

— Mais non, maman, ce n'est pas grave. Quand la lettre sera dans l'enveloppe, ça ne se verra pas.

•

La mère : Guillaume, tu manges comme un vrai petit cochon!

— Guillaume : Mais maman, ce n'est pas ma faute! Arrête de me faire cuire du bacon!

•

Deux copines discutent:

— Tu te souviens, au printemps dernier, il y a eu une grosse inondation.

— Oui.

— Eh bien chez nous, on avait au moins quatre centimètres d'eau dans le sous-sol!

— Ce n'est rien ça! Chez moi, quand mon père a installé des pièges à souris au sous-sol, on a attrapé des poissons!

•

— Atchoum!

— Hé toi! Personne ne t'a jamais dit de mettre ta main devant ta bouche quand tu éternues?

— Oui, ma grand-mère me le dit souvent. Mais ce n'est pas nécessaire pour moi.

— Comment ça ? Penses-tu que tes microbes sont inoffensifs ?

— Mes microbes ? J'ai toujours pensé que ma grand-mère le faisait pour retenir son dentier dans sa bouche !

•

Le père : Mange ton poisson.

— La fille : Ouache !

— Le père : Je te dis de manger ce poisson !

— La fille : Non, je n'aime pas ça !

— Le père : Il faut que tu manges ce poisson. C'est excellent pour la mémoire et l'intelligence.

— La fille : Ah bon ! Dans ce cas-là, papa, c'est peut-être toi qui devrais le manger !

•

Le père : Regarde cette fontaine. On peut y jeter des pièces de monnaie en faisant un vœu. Allez, essaie !

— Didier : D'accord. Alors je souhaite très fort que 7 fois 8 égale 48.

— Le père : Mais pourquoi ?

— Didier : Ça va m'empêcher de couler mon examen d'hier...

•

Le frère : Me crois-tu si je te dis que je peux faire avec des notes et des lettres une phrase qui parle d'un crayon très fragile ?

— La sœur : Vas-y, je t'écoute !

— Le frère : Si-fa-si-la-K-C !

•

— Mais qu'est-ce qu'il y a, mon chéri ? demande la maman à son fils. Tu as l'air tout triste !

— Mes camarades d'école n'arrêtent pas de me dire que j'ai de grands pieds !

— Mais non, voyons! Oh, en passant, la prochaine fois que tu mettras tes bas sur la corde à linge, ne laisse pas le chien sortir en même temps. La dernière fois, il les a tous mangés!

•

— Mais voyons! Qu'est-ce que tu comptes?

— 632, 633, 634, 635...

— Mais veux-tu bien m'expliquer ce qui se passe?

— 998, 999, 1000... AAAAAHHHHHH! Au secours! Il y a un mille-pattes dans mon lit!

•

— Vas-tu prendre l'autobus en retournant chez toi?

— Non, je ne pense pas que ma mère voudrait que je rapporte ça à la maison!

•

La scène se passe un matin du mois de février. Sur une tablette d'épicerie, un pain blanc dit à un pain brun :

— Wow ! Tu reviens de vacances, chanceux ?

•

Une dame revient de chez le médecin.

— Alors, lui demande son mari, qu'est-ce qu'il t'a dit ?

— Il a dit qu'il s'inquiétait beaucoup parce que je fumais.

— Bon ! As-tu pris une décision ?

— Oui, j'ai décidé que les inquiétudes du médecin ne me concernent pas !

•

Que dit la maman grenouille à son petit qui a pris beaucoup trop de temps pour rentrer à la maison après l'école ?

— Dis donc, têtard !

•

Alexandre : Hier soir, pendant que je faisais mes devoirs, je m'imaginais que j'allais couler mon examen, puis que j'allais être obligé de refaire mon année avec le même professeur, les mêmes devoirs, les mêmes exercices, les mêmes examens...

— Joëlle : Et qu'est-ce que tu as fait ?

— Alexandre : J'ai arrêté d'imaginer !

•

Le papa : Mon fils, j'ai une bonne et une mauvaise nouvelle pour toi.

— Le fils : Commence donc par la bonne.

— Le papa : On t'a acheté un beau poisson rouge pour ta fête.

— Le fils : Oh ! Merci ! Ça fait tellement longtemps que je rêve d'un poisson rouge ! Mais la mauvaise nouvelle, qu'est-ce que c'est ?

— Le papa : C'est qu'on n'aura pas d'argent pour acheter un bocal avant l'année prochaine...

•

— Connais-tu la différence entre un bol à soupe et une poubelle ?

— Non.

— Oh là là ! Je crois que je n'accepterai jamais d'invitation à souper chez toi !

•

Chez le barbier, un homme vient de se faire raser.

— Voilà, c'est fini ! dit le barbier.

— Combien ça coûte ?

— C'est dix dollars.

— Dix dollars ! Mais mon ami vient ici et ça ne lui coûte que cinq dollars !

— Oui, mais vous avez un double menton !

CONCOURS

Tu dois connaître, toi aussi, de courtes histoires drôles. Alors, pourquoi ne pas nous en faire parvenir quelques-unes?

Parmi celles reçues, certaines seront retenues pour publication et l'auteur(e) de l'histoire drôle recevra une surprise.

Participe le plus vite possible et envoie tes histoires drôles à:

CONCOURS HISTOIRES DRÔLES
Les éditions Héritage inc.
300, rue Arran
Saint-Lambert (Québec)
J4R 1K5

Nous avons hâte de te lire!

À très bientôt donc!

Achevé d'imprimer en septembre 2004 sur les presses de
Payette & Simms inc. à Saint-Lambert (Québec)